Cuaderno de ejercicios 1

María Luisa Hortelano
Elena G. Hortelano
María José Lorente

1.ª edición: 2009
23.ª impresión: 2023

Directora del proyecto y coordinadora del equipo de autores: María Luisa Hortelano.
Autoras: María Luisa Hortelano, Elena González Hortelano, María José Lorente.
Dirección y coordinación editorial: Departamento de Edición de Edelsa.
Diseño de cubierta: Departamento de Imagen de Edelsa.
Diseño y maquetación de interior: Carolina García.
Ilustradora: Estrella Fages.

ISBN: 978-84-7711-651-6 ISBN Pack (alumno + ejercicios): 978-84-7711-656-1
Depósito Legal: M-32631-2011
Impreso en España / *Printed in Spain*

Las autoras quieren expresar su agradecimiento a la Consejería de Educación en el Reino Unido e Irlanda y muy especialmente a las siguientes personas:

- José Antonio del Tejo, consejero de Educación, por el asesoramiento, apoyo y facilitación de documentos relacionados con la situación de la enseñanza del español en este país, y por ponernos en contacto con las orientaciones del Ministerio de Educación inglés sobre la nueva estrategia para la enseñanza de las lenguas en Primaria, la propuesta curricular de la QCA (Qualifications and Currículo Authority) o instituciones relevantes en la enseñanza de lenguas, como NACELL y CILT, que tan útiles nos fueron en los estadios de investigación y estudio previos a la elaboración de los materiales que componen este método.

- Las asesoras técnicas de la Consejería de Educación del Reino Unido e Irlanda por su atención siempre cordial y atenta; en especial a Inmaculada Naranjo, cuyo taller con Emilia Sánchez (ambas también autoras de materiales para Educación Primaria) nos dio a conocer la estupenda recopilación de folclore popular infantil realizada por Carmen San Andrés; a Laura Romero Chust e Isabel Rubio Pérez, responsables de la edición de la revista *Acti/España* publicada por la Consejería de Educación en el Reino Unido e Irlanda, por permitirnos una adaptación de la actividad *¿Qué prefieres, ratita?* (*Acti/España* 11) elaborada por la auxiliar de conversación Nuria Hoya Santos; a Lucila Benítez y Mª José Egusquiza, asesoras técnicas y autoras a su vez de materiales para la enseñanza del español para niños y a María Teresa Rodríguez, responsable del Centro de Recursos.

- La genial profesora británica de español Sheila Grady, auténtica y genuina fuente de inspiración de algunas de las actividades que aparecen en el método, como la canción *Me gusta toda la fruta* de la unidad 6. Conocimos a Sheila asistiendo a sus talleres en la celebración anual de los *Spanish Workshops* organizados por la Consejería de Educación, referente y punto de encuentro de la enseñanza del español en el Reino Unido.

Queremos también expresar nuestro sincero agradecimiento a los profesores de Primaria y compañeros de ALCE, cuyos comentarios y críticas tan útiles nos han sido tanto en las sucesivas ediciones de *La Pandilla* como en la elaboración de este nuevo método, *Colega*. Gracias a Criscelia Barbas, Amparo Peris, Gabriel Castro, Tomás Madrid, Juan Carlos Gradé, Mª José Lorente, Txema Martínez, Almudena Bermúdez, Dina Helguera, Regina Couceiro, Sento Marco... y de un modo muy especial a nuestro entusiasta compañero Paco Palazón, experto en la enseñanza de lenguas. Y a los colegios públicos Infanta Cristina de Puente Tocinos (Murcia) y Aldebarán de Tres Cantos (Madrid).

Gracias también a Carlos Velázquez y a Marily Troyano, profesores en centros británicos, que nos permitieron visitar sus escuelas y nos asesoraron sobre el uso de recursos como las pizarras interactivas. A Vanesa Little, responsable de la formación del profesorado de lenguas modernas en el Royal Borough of Kensington and Chelsea por permitirnos asistir a diversas jornadas de formación en las que pudimos analizar las necesidades que expresaba este profesorado.

CD audio: Locuciones y Montaje Sonoro ALTA FRECUENCIA MADRID 915195277 altafrecuencia.com
Voces de la locución: Juani Femenía, Arantxa Franco y Elena González. Cantantes/coros: A. Franco, E. González y F. Cruz.
Autoría/composición/arreglos musicales: Fran Cruz.

Índice

UNIDAD 1 ¡Hola! página 4

UNIDAD 2 Cantar y jugar página 14

UNIDAD 3 Ven a mi fiesta página 24

UNIDAD 4 Mi cuerpo página 34

UNIDAD 5 Érase una vez... página 44

UNIDAD 6 Me gusta la fruta página 54

ESCUCHAR

LEER

ESCRIBIR

OBSERVAR

REPETIR

SEÑALAR

CANTAR

JUGAR

DIBUJAR

TRABAJO MANUAL

EN PAREJAS

EN GRUPO

¡Hola!

1. Colorea los países donde se habla español y escribe el nombre de los de la lista.

2.  Colorea a Colega y la bandera española.

3. Escribe lo que dice Colega.

4. Escribe las palabras que faltan en la canción.

Hola, España,

__________, Argentina,

__________, ¿qué tal? (2)

Hola, __________ __________. (2)

¿__________ __________ ? (2)

Yo bien, __________. (2)

¿Cómo estás tú? (2)

Adiós, Venezuela,

__________ , Perú.

Hola	Hola
¿Cómo estás?	Adiós
Buenos días	Gracias

Mi familia

1. **Lee y copia.**

la abuela

....

la madre

....

la hermana

....

el abuelo

....

el padre

....

el hermano

....

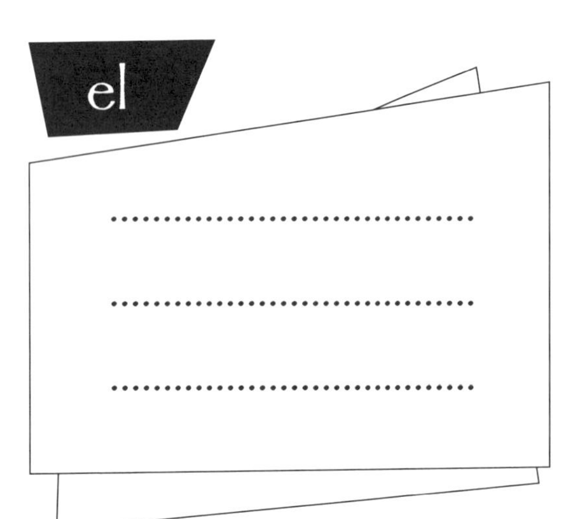

....

....

....

la

....

....

....

2. **Completa.**

mamá | papá | abuelo | abuela | hermano | hermana

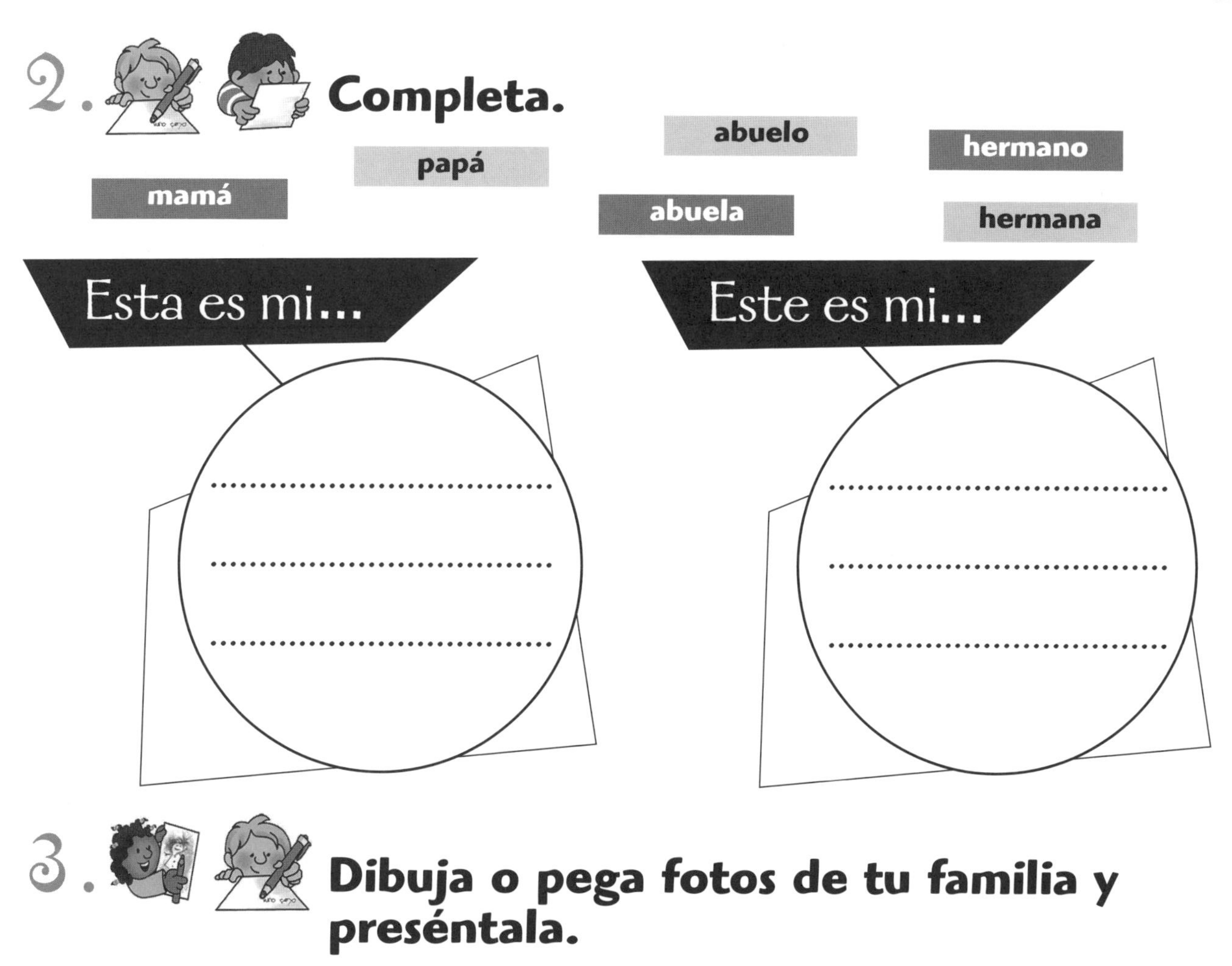

3. **Dibuja o pega fotos de tu familia y presréntala.**

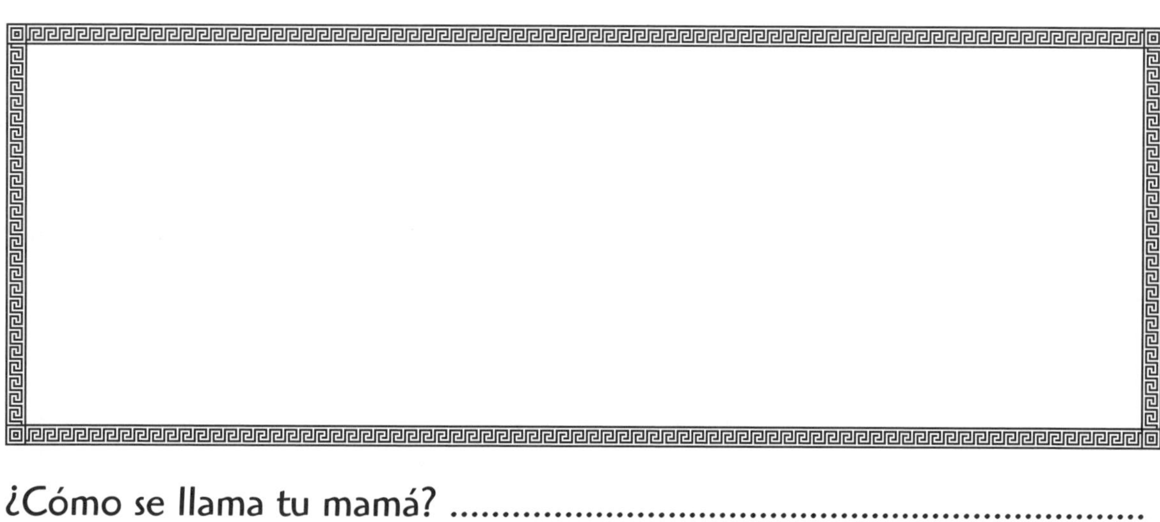

¿Cómo se llama tu mamá? ....

¿Cómo se llama tu papá? ....

El abecedario

UNIDAD 1

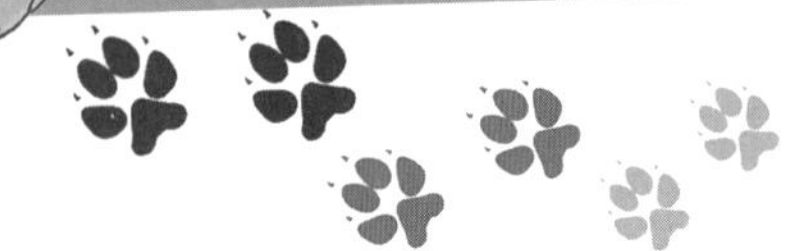

1. Lee y dibuja.

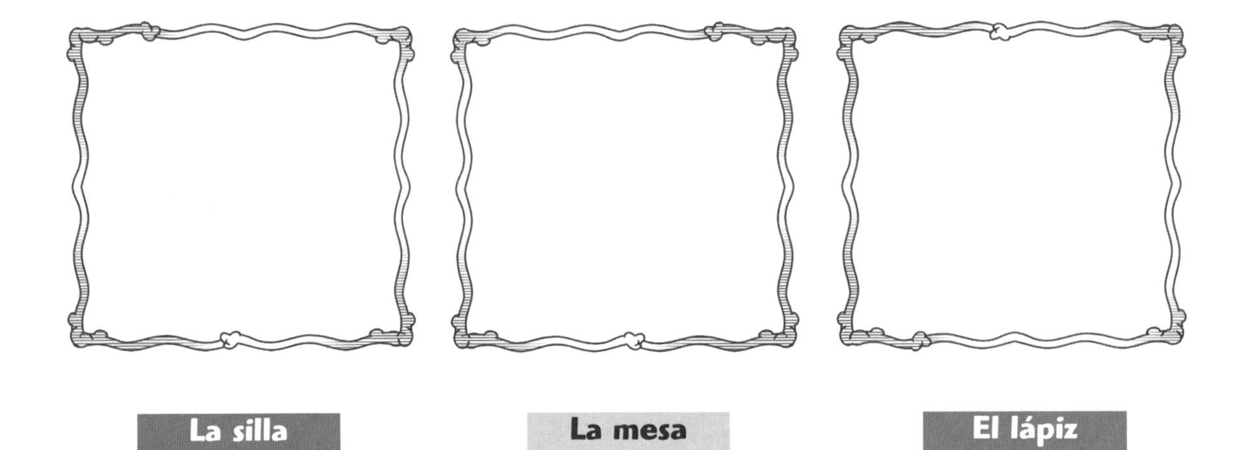

La silla | La mesa | El lápiz

2. Escribe el nombre.

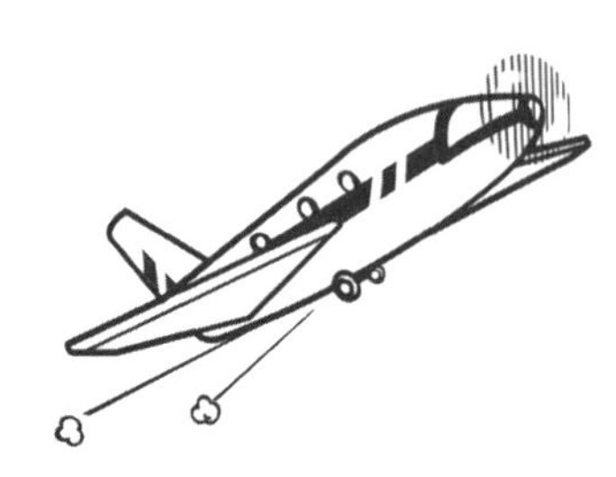

....

3. Deletrea en voz alta las palabras anteriores.

4.  **Dibújate, escribe tu nombre y deletréalo.**

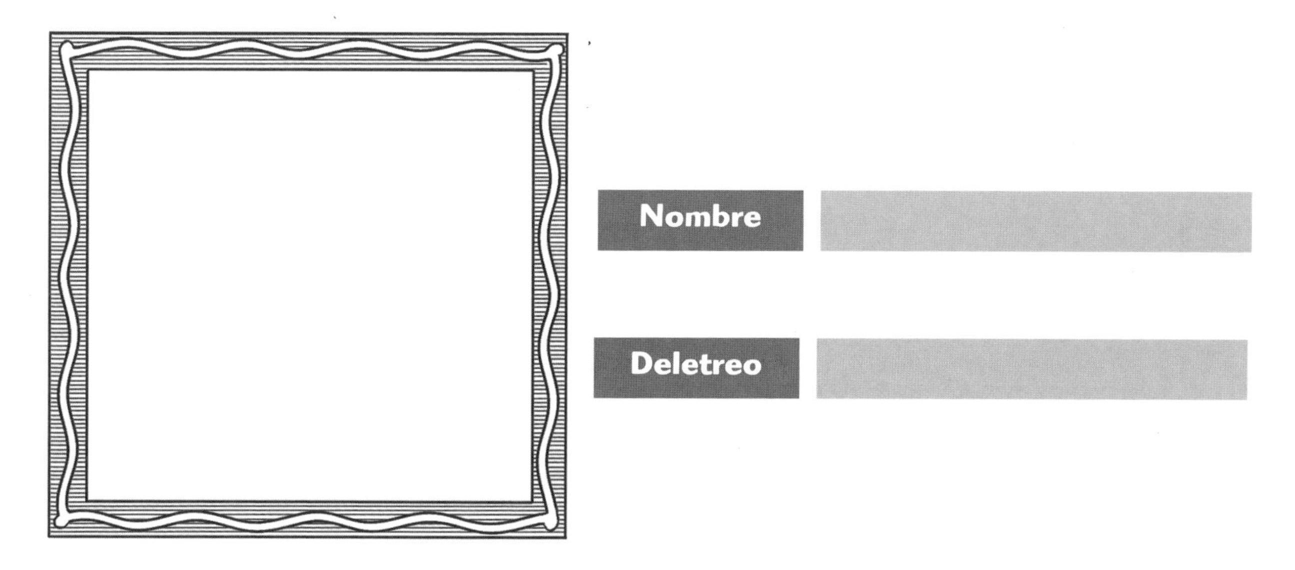

5. **Dibuja a dos compañeros, escribe sus nombres y deletréalos.**

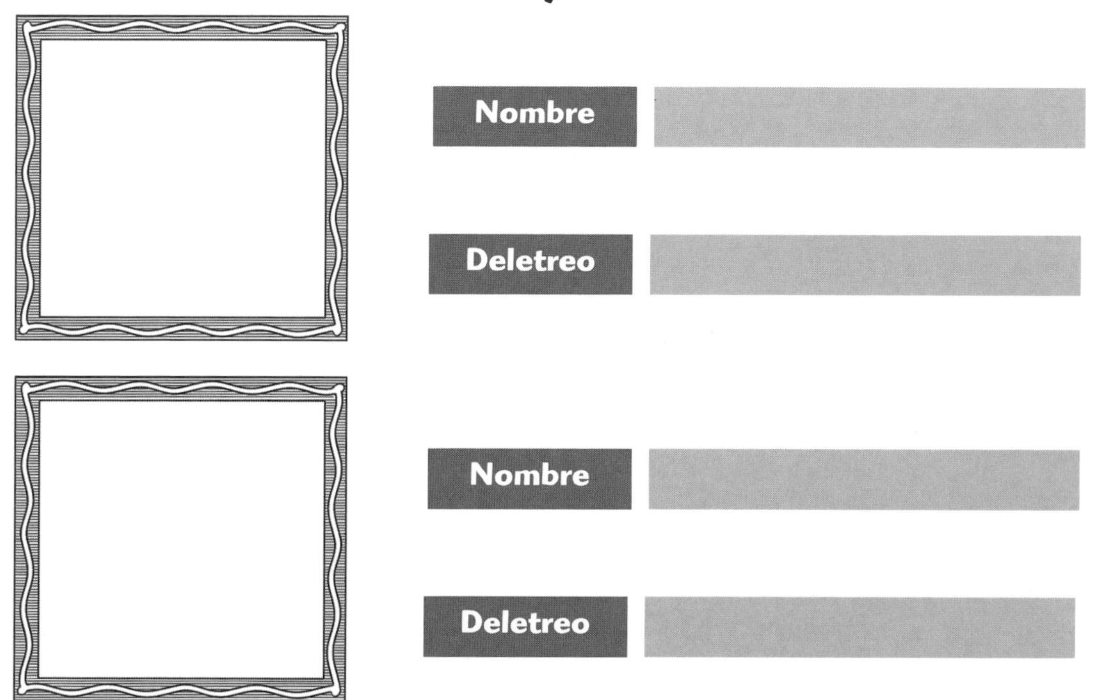

Los números

1. Lee y dibuja.

cuatro	*seis*
siete	*nueve*
diez	*tres*
ocho	*cinco*

2. Observa y escribe el número en letra.

....

3. Rodea los números y escríbelos.

1. ......*uno*......
2. ....
3. ....
4. ....
5. ....

A	S	B	C	U	N	O	D	E
F	E	G	H	S	I	E	T	E
T	I	I	O	J	N	K	L	M
R	S	N	C	O	U	P	Q	C
E	R	S	H	T	E	U	D	I
S	V	D	O	S	V	W	I	N
X	Y	Z	A	B	E	L	E	C
C	U	A	T	R	O	D	Z	O

6. ....
7. ....
8. ....
9. ....
10. ....

4. Dictado de números.

◯ – ◯ – ◯ – ◯ – ◯ – ◯

REPASAMOS

1. Une con flechas y copia.

Yo tengo siete años.

....

Yo tengo cuatro años.

....

Yo tengo ocho años.

....

2. ¿Cuántos años tienes tú?

Yo ....

REPASAMOS

3.   **Contesta y dibuja a estas tres personas.**

TODO SOBRE MÍ

¿Cómo te llamas?

....

¿Cómo se deletrea tu nombre?

....

¿Cuántos años tienes?

....

¿Cómo se llama tu madre?

....

¿Cómo se llama tu padre?

....

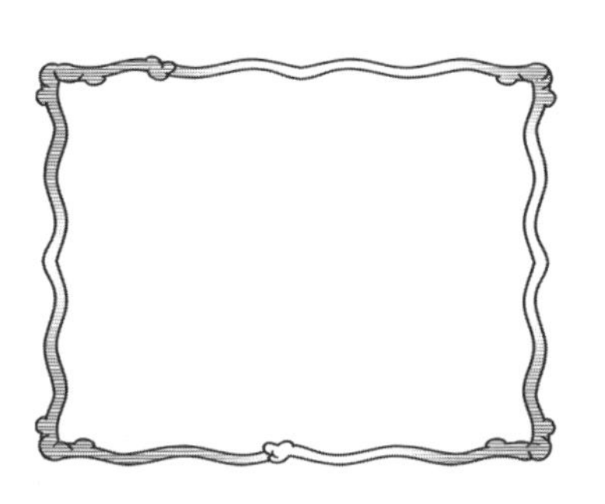

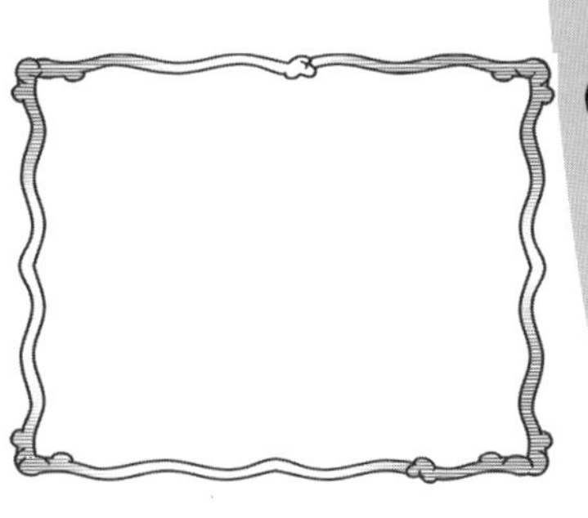

Esta es mi .... *Este es mi* .... *soy yo.*

UNIDAD 2

Cantar y jugar

1. **Copia y dibuja.**

Tengo tres ovejas
en una cabaña.
Una me da leche,
otra me da lana,
y otra me da queso
para la semana.

cabaña

tres ovejas *leche* *lana* *queso*

lunes *martes* *miércoles* *jueves*

viernes *sábado* *domingo*

2. **Escribe en letra.**

1 + 10 = 11

uno + *diez* = *once*

2 + 10 = 12

.... + ... = ...

3 + 10 = 13

.... + ... = ...

4 + 10 = 14

.... + ... = ...

5 + 10 = 15

.... + ... = ...

....

....

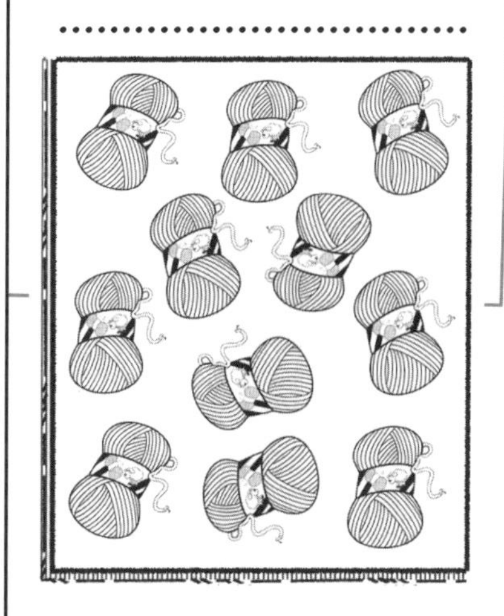

....

¡En español!

1. Escucha y numera.

a

b

c

d

e

f

2.  Une con flechas de colores.

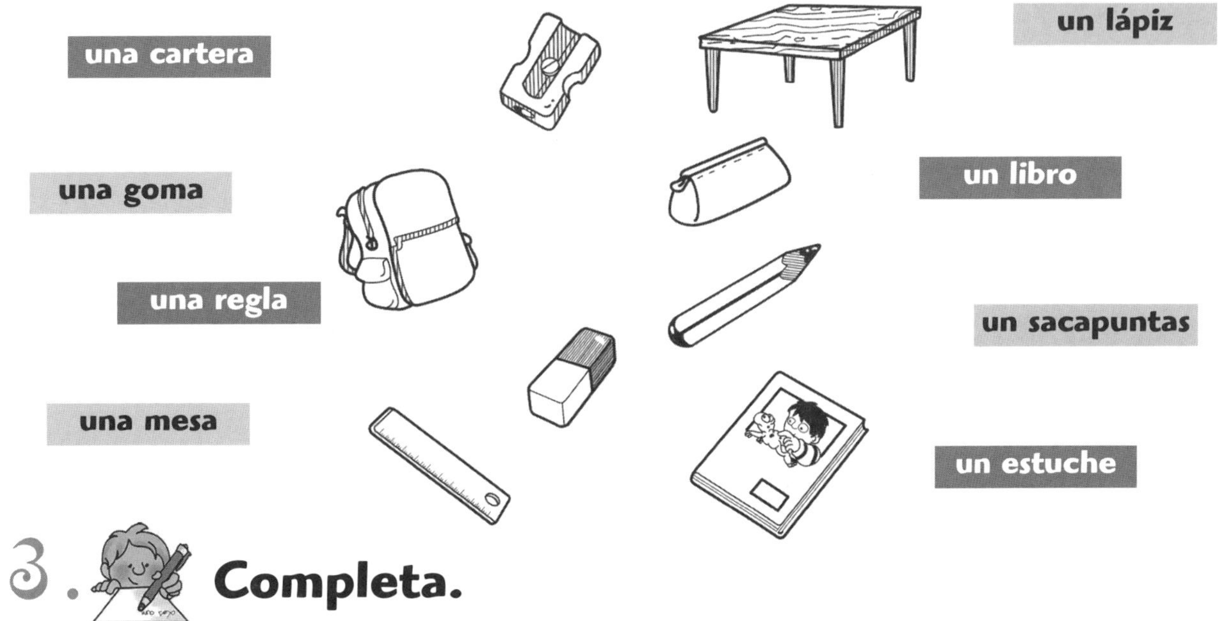

3. Completa.

gracias | lo siento | un lápiz | una regla

UNIDAD 2

De colores

1. Colorea y copia.

azul

....

rojo

....

verde

....

amarillo

....

blanco

....

negro

....

marrón

....

2. Lee y colorea.

La cartera es roja.

El estuche es azul.

La regla es amarilla.

El cuaderno es verde.

3. **Escribe en letra.**

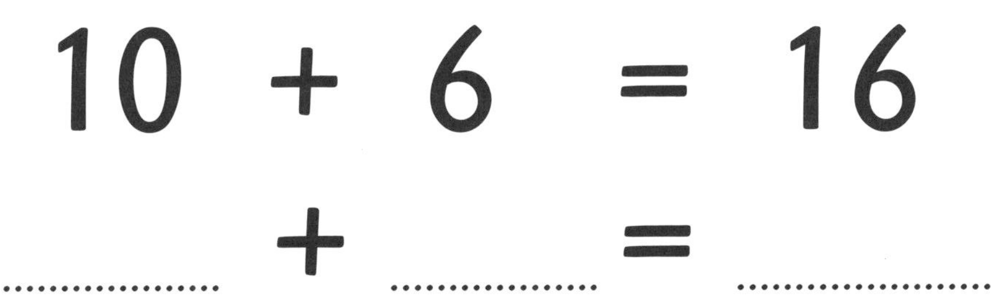

10 + 6 = 16

.... + ... = ...

....

10 + 7 = 17

.... + ... = ...

10 + 8 = 18

.... + ... = ...

....

10 + 9 = 19

.... + ... = ...

....

UNIDAD 2

Juegos de mesa

SALIDA →	1 Canta en español	2	3 Toca una	4	5 ¿Qué es?
11 Di tres cosas de clase	10	9 Toca una	8	7 1-2-3 Cuenta de 1 a 10	6
12 Señala una	13	14 Di tres colores	15	16 Señala una	17
23	22 1-2-3 Cuenta de 1 a 10	21 Toca una	20	19 1-2-3 Cuenta de 11 a 15	18 Canta en español
24 Di tres cosas de clase	25	26 1-2-3 Cuenta de 16 a 19	27	28 Señala un	29
35	34 Señala una	33	32 1-2-3 Cuenta de 11 a 15	31	30 Di tres colores
36 1-2-3 Cuenta de 16 a 19	37	38 ¿Qué es?	39 Toca un	40	→ FIN

señala | toca | di | ¿qué es? | 1-2-3 cuenta | canta en español

UN JUEGO DE MEMORIA

Número de jugadores: 4

1. Recortad tarjetas con dibujos de cosas de la clase.

2. Recortad tarjeras con el nombre de cosas de la clase.

3. Poned las tarjetas boca abajo.

4. Un jugador levanta dos cartas.

- Si las dos cartas son iguales

 = 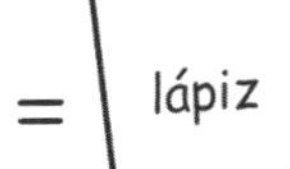

: conserva las cartas.

- Si las dos cartas no son iguales

 ≠ Silla  

: devuelve las cartas.

5. Es el turno del siguiente jugador.

6. GANA el jugador que más tarjetas tenga al final.

NOTA: Puedes jugar con números:
O con colores:

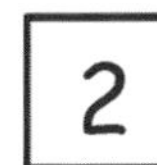

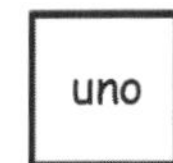

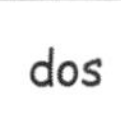

REPASAMOS

1. Colorea igual el dibujo y la palabra.

2. Escribe de qué color es.

1. *El estuche es* ....
5. ....
2. ....
6. ....
3. ....
7. ....
4. ....
8. ....

REPASAMOS

3.  Pregunta a tus amigos: ¿Cómo te llamas? ¿Qué juego prefieres?

juegos ↓ / nombres →	....	....	....	yo
la rayuela				
los bolos				
el escondite				
los zancos				
la comba				
el pañuelo				

4.  Une los números y descubre el dibujo.

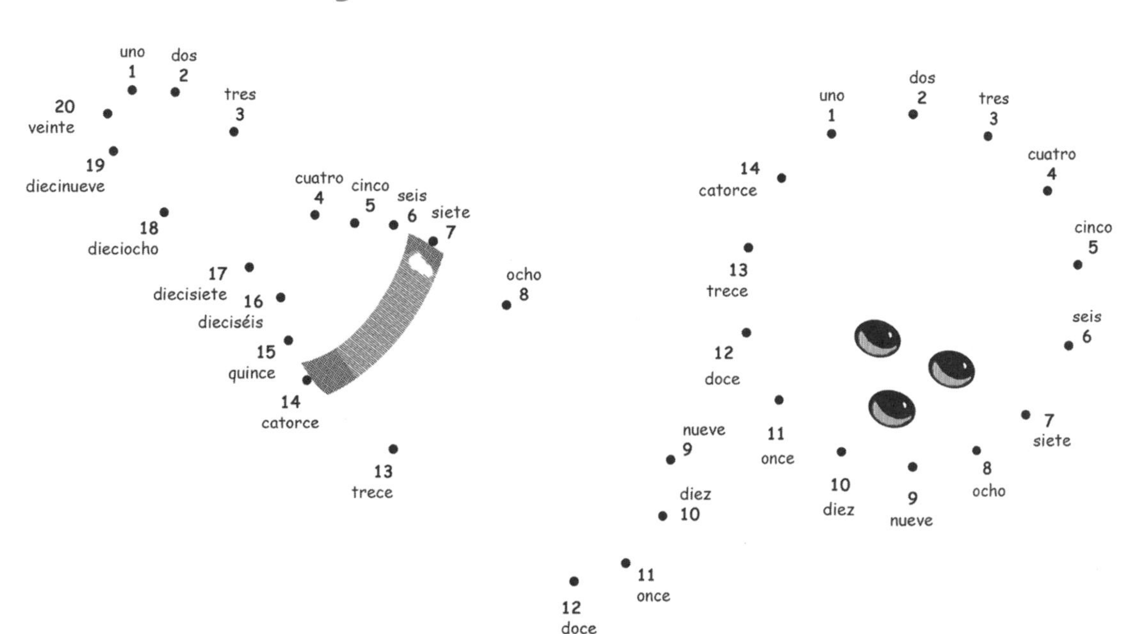

UNIDAD 3

Ven a mi fiesta

1. Ordena los meses.

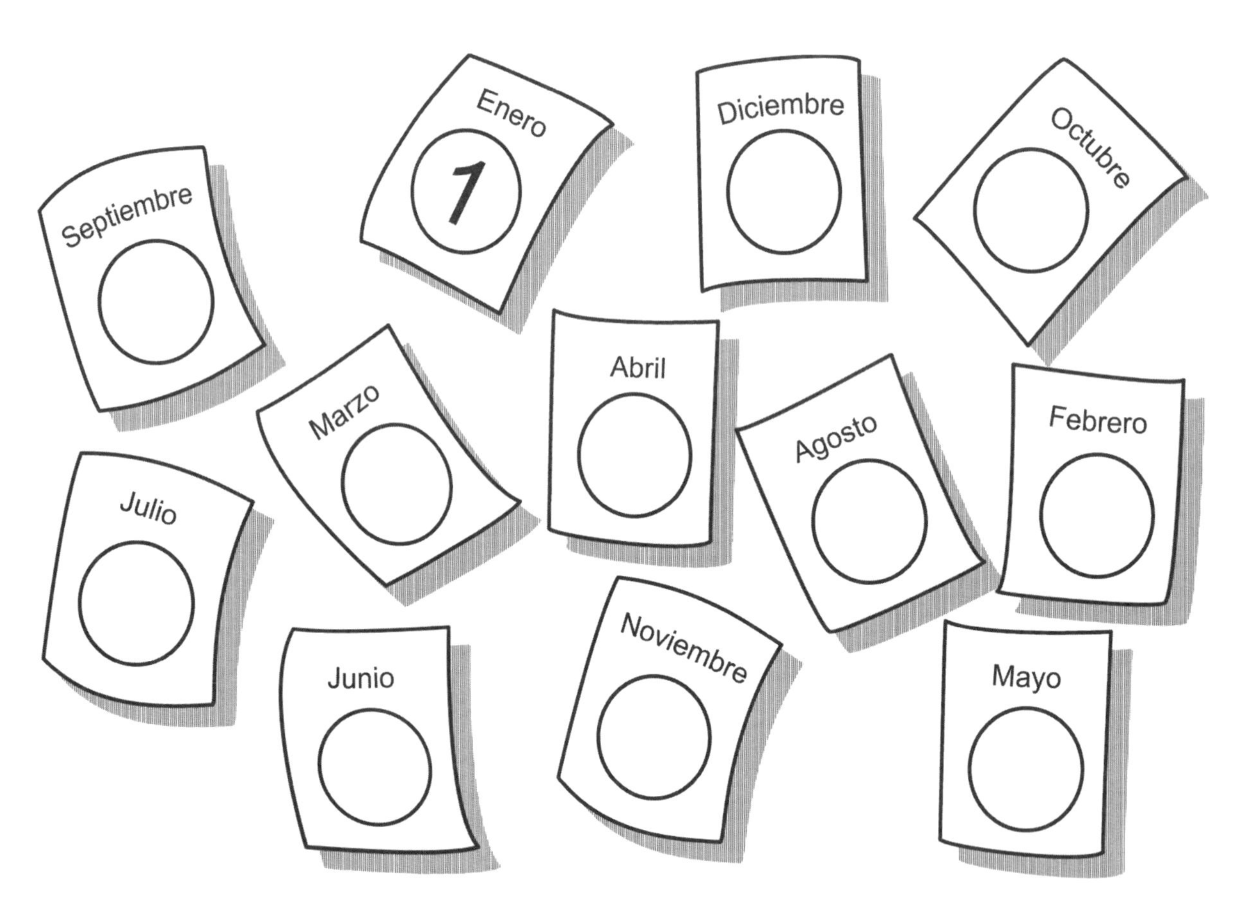

2. Completa.

E _ er _	_ ay _	S _ _ t _ e _ b _ e
_ eb _ _ ro	J _ _ i _	_ c _ _ _ re
Ma _ _ o	Ju _ _ o	No _ _ e _ b _ _
_ br _ l	_ g _ _ to	_ _ c _ em _ re

3. Completa.

Mi cumpleaños es el ________ *de* ____________________.

4. Escribe.

La casa

1. Escucha y numera.

La cocina ☐ *El garaje* ☐ *El baño* ☐

El salón ☐ *El dormitorio* ☐ *El jardín* 1

2. Numera.

3. Escribe.

1. *El jardín*
2. ....
3. ....
4. ....
5. ....
6. ....

Tarjeta de cumpleaños

LECCIÓN 2

4. Colorea y completa.

gris

NOMBRE: ....

Te invito a mi fiesta de cumpleaños

LUGAR: ....

FECHA: ....

HORA: ....

Te espero *Ana*

rosa

naranja

morado

5. Completa y dibuja tu propia tarjeta.

NOMBRE: ....

Te invito a mi fiesta de cumpleaños

LUGAR: ....

FECHA: ....

HORA: ....

Te espero

UNIDAD 3

¡Feliz cumpleaños!

1. **Copia la canción de cumpleaños.**

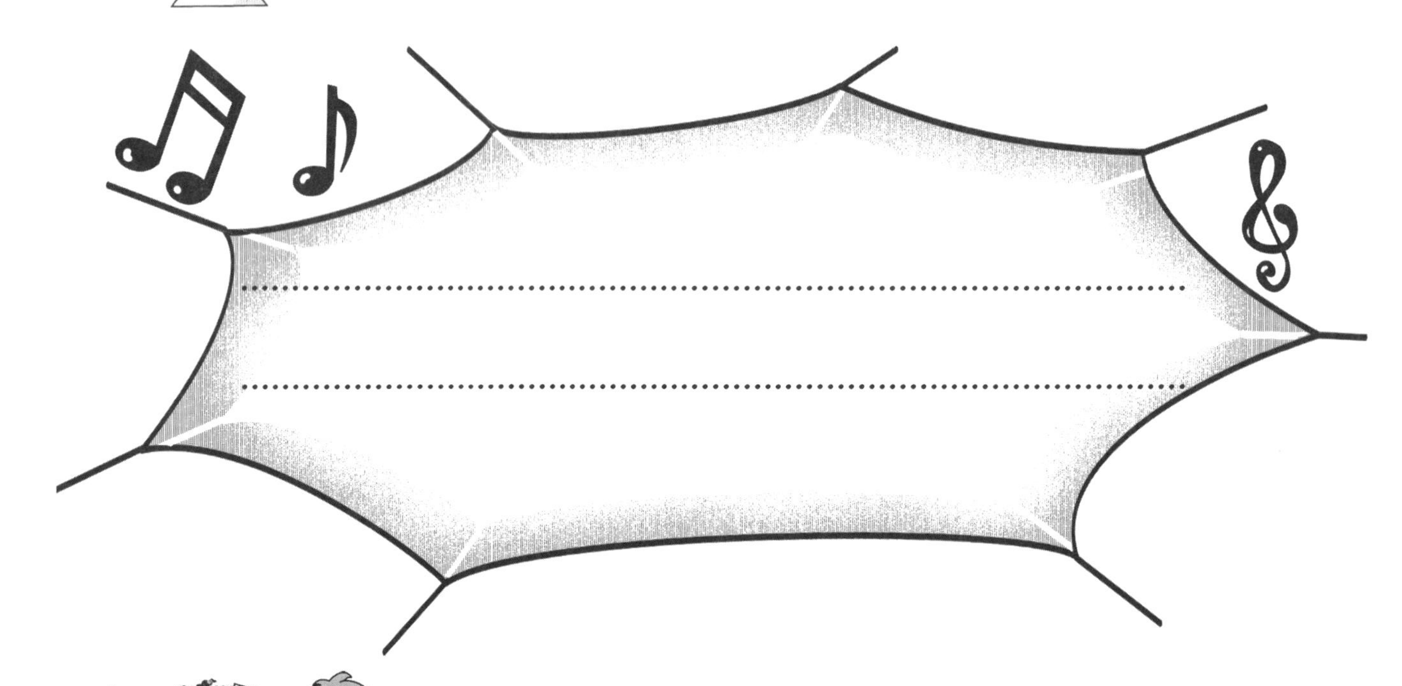

2. **Dibuja la tarta de Ana y escribe lo que dicen sus amigos.**

3. Completa.

3 UNIDAD Nos divertimos

1. Escribe.

... saltar a la comba

... jugar al fútbol

... jugar a la oca

... jugar a las cartas

... escuchar música

... montar en bici

Me gusta ....

....

Me gusta ....

....

Me gusta ....

....

Me gusta ....

....

Me gusta ....

....

Me gusta ....

....

2. Escucha y numera.

REPASAMOS

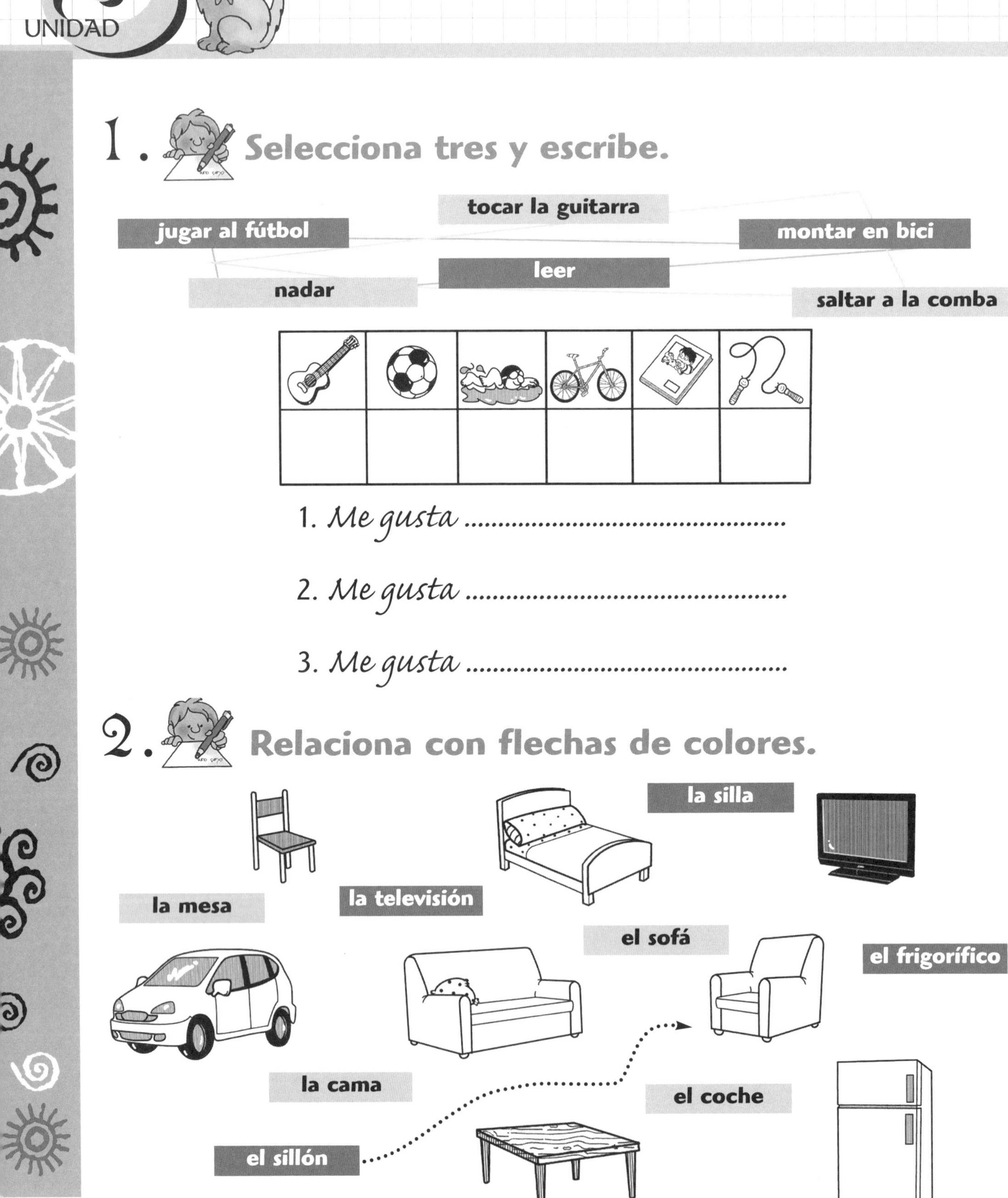

1. Selecciona tres y escribe.

tocar la guitarra · **jugar al fútbol** · **montar en bici** · **leer** · **nadar** · **saltar a la comba**

1. *Me gusta* ....
2. *Me gusta* ....
3. *Me gusta* ....

2. Relaciona con flechas de colores.

la silla · **la mesa** · **la televisión** · **el sofá** · **el frigorífico** · **la cama** · **el coche** · **el sillón**

REPASAMOS

3. Escribe el mes anterior y el posterior.

.... *febrero* ....

.... *diciembre* ....

.... *mayo* ....

.... *septiembre* ....

.... *junio* ....

.... *noviembre* ....

Mi cuerpo

UNIDAD 4

1. Numera.

1. la pierna	6. el brazo
2. la cabeza	7. los dedos
3. el codo	8. el pie
4. el cuello	9. la rodilla
5. la cola	10. la mano

2. Completa y une.

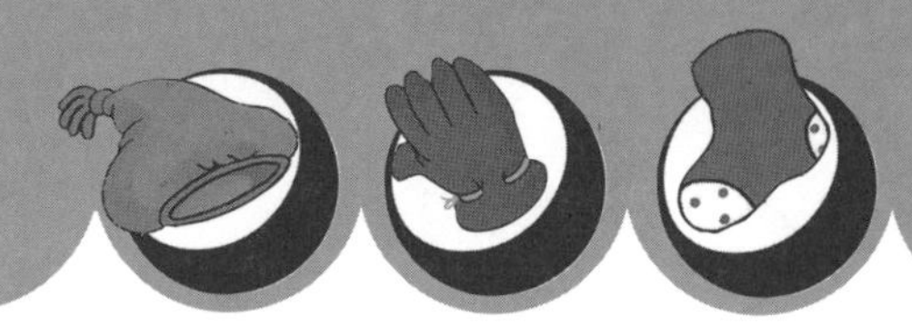

3.  Lee y escribe.

1. Dibuja las partes del cuerpo de este poema.

En mi [ ] redondita,

tengo [ ] y [ ] ,

y también tengo una [boca]

para comer y reír.

Con los [ ] veo todo,

con la [ ] hago ¡atchííísss!,

y con la [ ] yo como

palomitas de maíz.

2. Rodea y copia.

(ojos)	nariz	orejas	(ojos)	ojos
(orejas)	pelo	boca	orejas	....
(boca)	boca	nariz	pelo	....
(nariz)	ojos	orejas	nariz	....
(pelo)	nariz	pelo	boca	....

3. 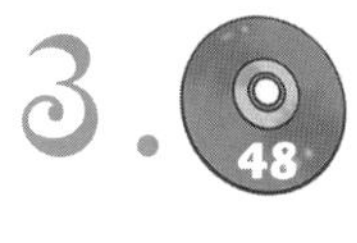  Escucha y numera.

4.   Dibuja tu retrato y descríbelo a tus compañeros.

UNIDAD 4 Soy así...

1. **Dibuja.**

- Es de color naranja.
- Tiene tres cabezas, cinco brazos y seis ojos rojos.
- Tiene el pelo verde y rizado.

2. **Describe.**

Monstruitos

LECCIÓN 3

3. Escucha, marca y dibuja.

- [ ] Tengo el pelo rosa.
- [ ] Tengo el pelo verde.
- [ ] Tengo dos ojos azules.
- [ ] Tengo cuatro ojos amarillos.
- [ ] Tengo cinco brazos.
- [ ] Tengo dos brazos.
- [ ] Tengo una nariz morada.
- [ ] Tengo una boca grande y roja.

4. Escribe verdadero (V) o falso (F).

Tiene cuatro brazos.	
Tiene las orejas grandes.	
Tiene el pelo rizado.	
Tiene seis piernas.	
Tiene el pelo corto.	
Tiene la nariz grande.	

UNIDAD 4
Me visto
1. Escribe y colorea.
Yo llevo un ....
Yo llevo unos ....
Yo llevo una ....
gorro amarillo
camisa rosa
calcetines verdes
zapatos negros
pantalón azul
Yo llevo unos ....
Yo llevo un ....
2. Escucha, numera y escribe.
50
1 camisa
40 cuarenta

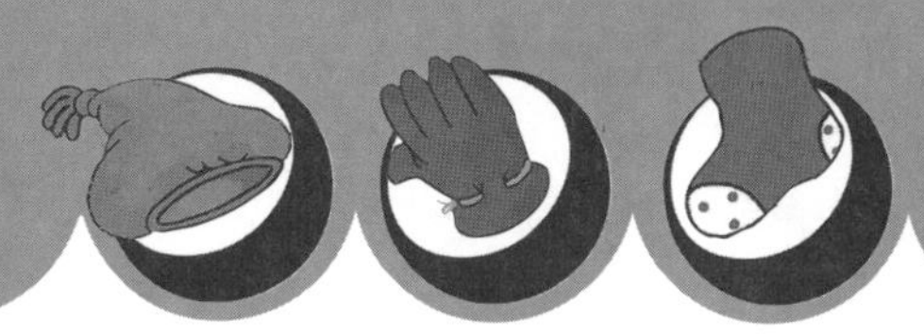

3. Escucha, marca y escribe.

		✓						
				✓				

un vestido
....
....
....

un pantalón
....
....
....

4. Lee y elige el dibujo.

a. b. c.

Yo llevo unos guantes. ☐

Yo llevo un pantalón. ☐

Yo llevo una falda. ☐

Yo llevo unas botas. ☐

Yo llevo una bufanda. ☐

Yo llevo una camisa. ☐

REPASAMOS

1. Escribe.

los ojos	el brazo	la cabeza	el pie	las orejas	la boca	la mano
el cuello	la rodilla	el codo	la nariz	los dedos	el pelo	la pierna

2. Escucha, dibuja y colorea.

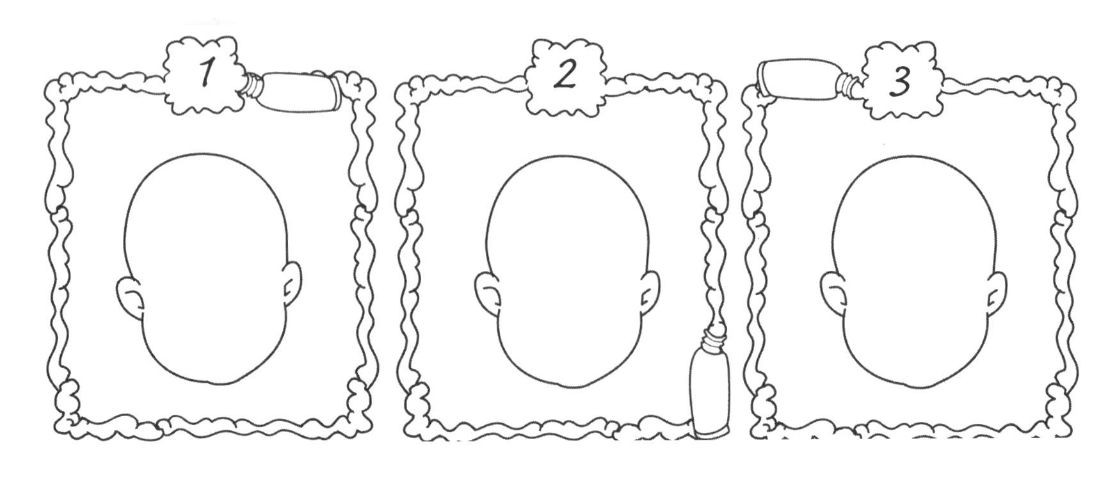

REPASAMOS

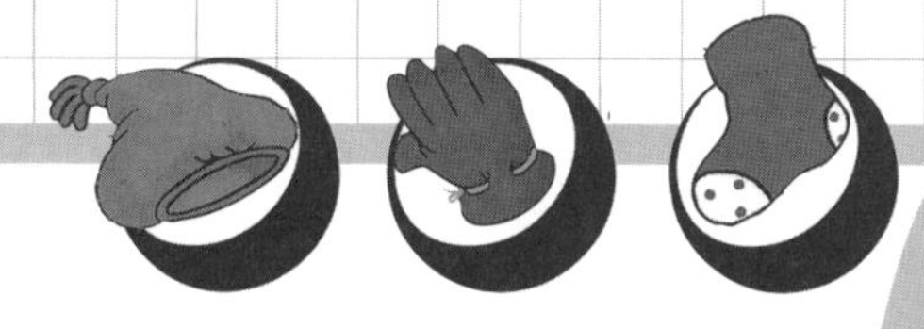

  Escucha y une.

Gruma

Tron

Trínca

Bledo

4. Dibuja la ropa y colorea.

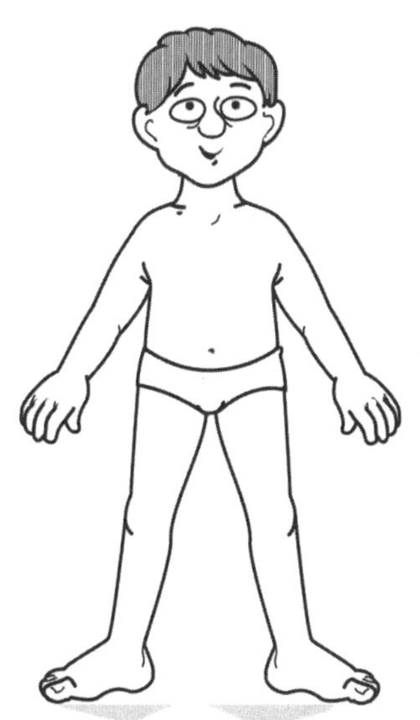

un vestido azul	un pantalón marrón
unos leotardos rojos	un jersey naranja
unos zapatos negros	una bufanda verde

UNIDAD 5 Érase una vez...

1. Escribe lo que quiere la ratita y colorea.

Una .... verde.

Un .... azul. *Un .... amarillo.*

Unos .... negros. *Un .... rojo.*

2. Escribe el nombre de los animales.

....

....

La ratita presumida

3.   Escucha y ordena la historia.

¿Qué es ese ruido?

1. **Lee, escribe el nombre del animal y dibújalo.**

Es un ....

....

....

¿Tienes mascota?

LECCIÓN 2

2. Escucha, une y colorea.

Carlos | Alba | Juan | Candela | Nacho

3. Escribe.

Carlos tiene un gato. Su gato es blanco y negro.

Alba ....

Juan ....

Candela ....

Nacho ....

4. Y ahora tú: escribe y dibuja.

Yo ....

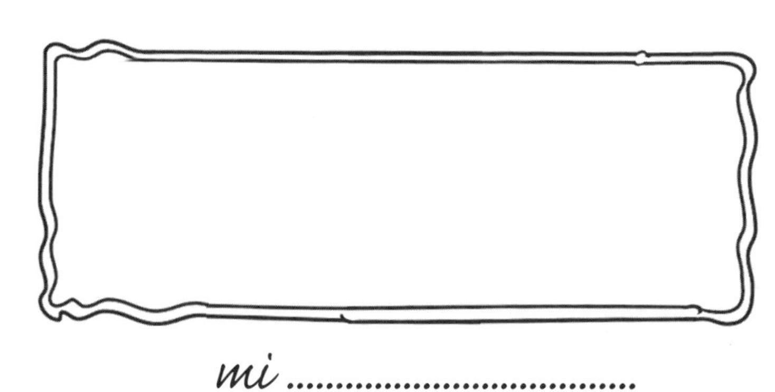

yo

mi ....

Adivina, adivinanza

1. Lee y dibuja.

Tiene ☐ de gato
y no es gato.
Tiene ☐ de gato
y no es gato.
Tiene ☐ de gato
y no es gato.
Tiene ☐ de gato
y no es gato.

¿Qué es?

Es una ....

2. Rodea y copia.

(ojos)	patas	ojos	orejas	ojos
(orejas)	orejas	cola	ojos	....
(patas)	cola	orejas	patas	....
(cola)	ojos	patas	cola	....

3. Escucha, numera y colorea.

4. Encuentra estas palabras de la canción y escríbelas.

....

....

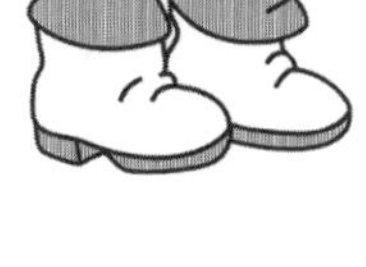

....

A	Z	A	P	A	T	O	S
M	N	R	L	K	A	C	A
V	T	B	A	J	H	A	B
S	O	M	B	R	E	R	O
X	P	Q	R	A	F	L	T
M	I	C	I	F	U	O	A
S	W	E	G	A	I	T	S
P	A	G	O	T	Y	A	U

....

....

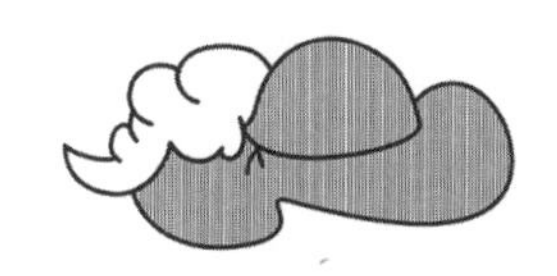

....

Animales salvajes

1.  El bingo-animal.

2. Dibuja animales que saben...

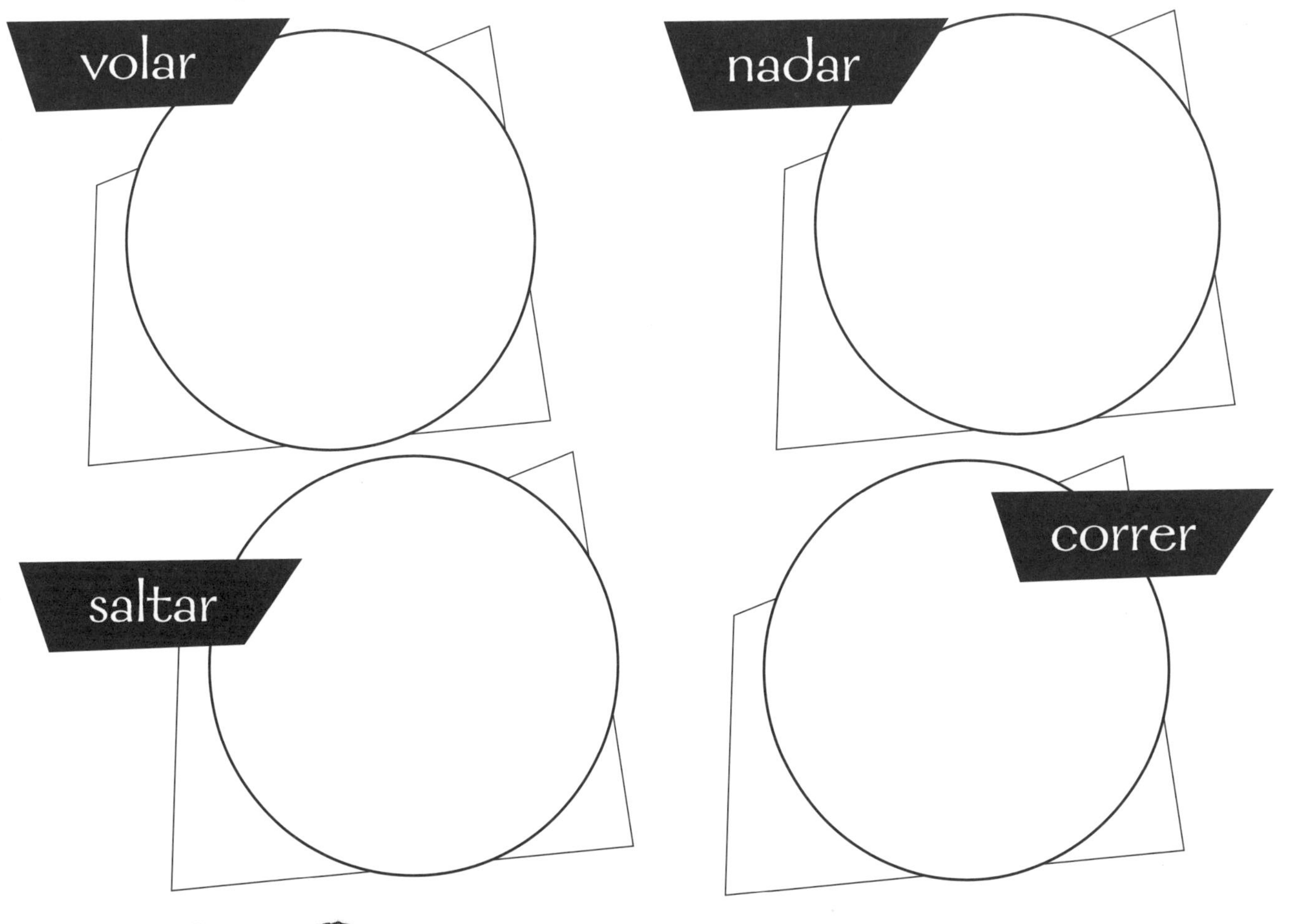

3. Haz un libro.

REPASAMOS

1.  **Escribe** **saben** o **no saben** y copia.

Las ballenas ....*saben*........ nadar.

....

Los elefantes .... saltar.

....

Las jirafas .... volar.

....

Los loros .... volar.

....

Los delfines .... saltar.

....

Los monos .... subir a un árbol.

....

REPASAMOS

2.  Señala qué tienen estos animales.

ANIMALES	la cola larga	la cola corta	el cuello largo	el cuello corto	las orejas grandes	las orejas pequeñas
	✓		✓			✓

3.  Escribe.

1. *Las jirafas tienen la cola larga, el cuello largo y las orejas pequeñas.*
2. *Los monos* ....
....
3. ....
....
4. ....
....
5. ....
....

Me gusta la fruta

1. Escribe y dibuja.

el plátano

....

la piña

....

las uvas

....

las fresas

....

la manzana

....

la naranja

....

la pera

....

el melocotón

....

las cerezas

....

2. Escucha y dibuja las caras.

Lucas

Lorena

Sandra

José

Laura

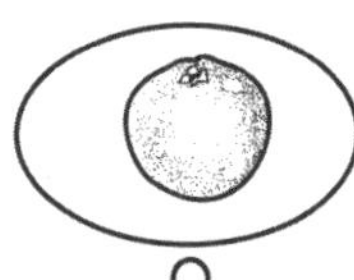

Tomás

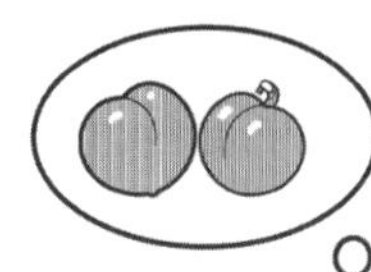

Eva

3. Escribe **me gusta** o **me gustan**.

.... *la manzana*

.... *las cerezas*

.... *el melón*

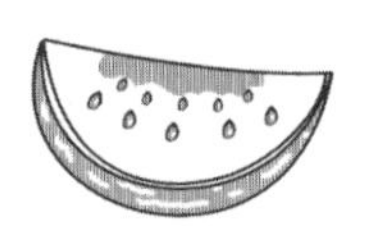

.... *los plátanos*

.... *la sandía*

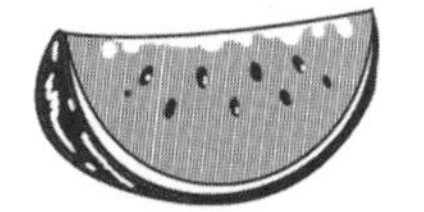

.... *las fresas*

¡Me encanta!

1. 

Escucha, dibuja y pregunta.

me gusta no me gusta me encanta						
Rubén						
Ana						
Elena						
Chema						
Julia						
Yo						

2. 

Cantamos un rap y jugamos.

- Rubén, Rubén.
Dímelo:
¿Te gusta el helado?
¿Sí o no?

Te lo digo: ¡Sí!
Me gusta el helado,
¡sí, sí, sí!

- Julia, Julia.
Dímelo:
¿Te gusta el kiwi?
¿Sí o no?

Te lo digo: ¡No!
No me gusta el kiwi,
¡no, no, no!

3. Colorea y escribe.

limón — *Quiero un helado de limón, por favor.*

naranja ....

fresa ....

chocolate ....

ZUMO melocotón ....

ZUMO manzana ....

ZUMO fresa ....

AGUA ....

El huerto

1. **Escribe los nombres: las cebollas – las lechugas – los pimientos – las patatas – los pepinos – los tomates – las zanahorias – las judías.**

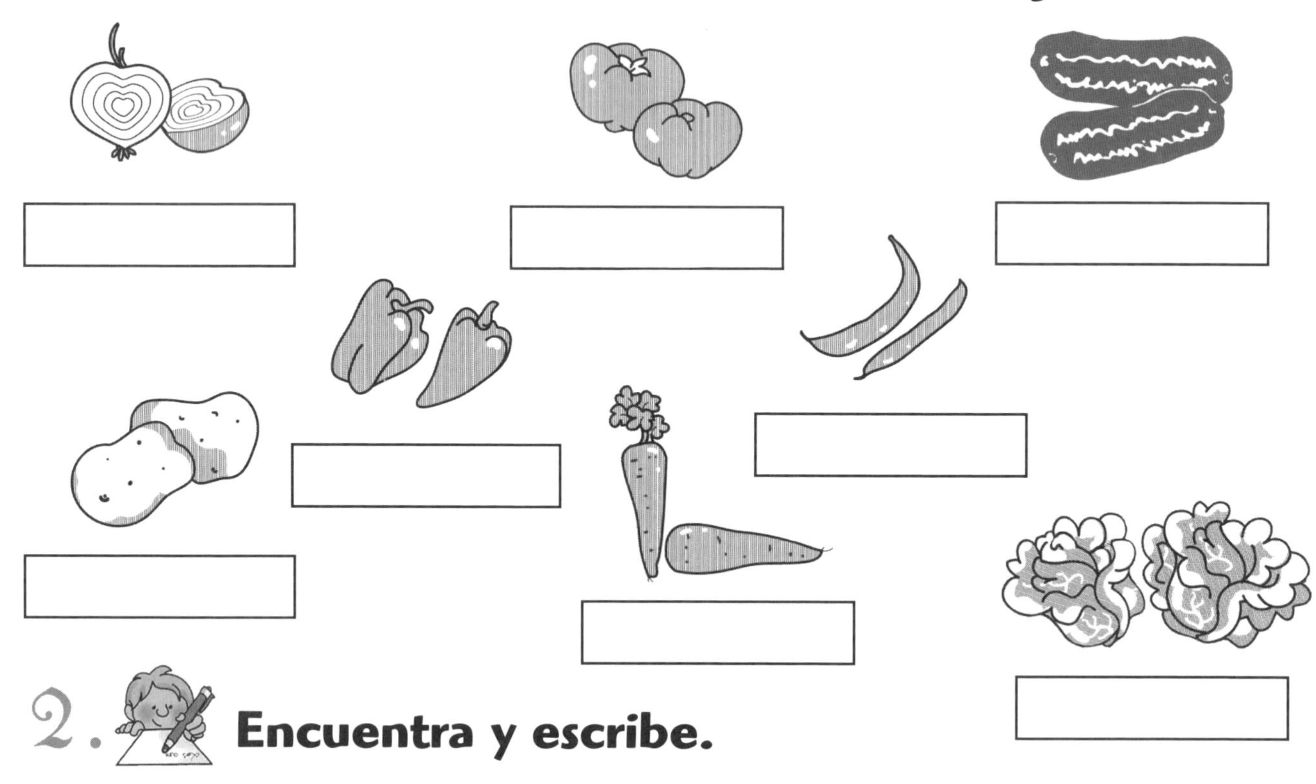

2. **Encuentra y escribe.**

J	L	C	E	B	O	L	L	A	S
C	P	O	R	B	Y	W	P	D	Q
Z	A	N	A	H	O	R	I	A	S
M	T	V	R	K	N	L	M	Z	T
C	A	F	P	J	U	D	I	A	S
S	T	E	G	Z	B	C	E	D	O
J	A	F	C	V	G	Y	N	C	X
X	S	N	T	O	M	A	T	E	S
P	E	P	I	N	O	S	O	T	I
L	E	C	H	U	G	A	S	P	C

....

....

....

....

3. Escribe y numera.

fruto raíz tallo hojas semilla flor

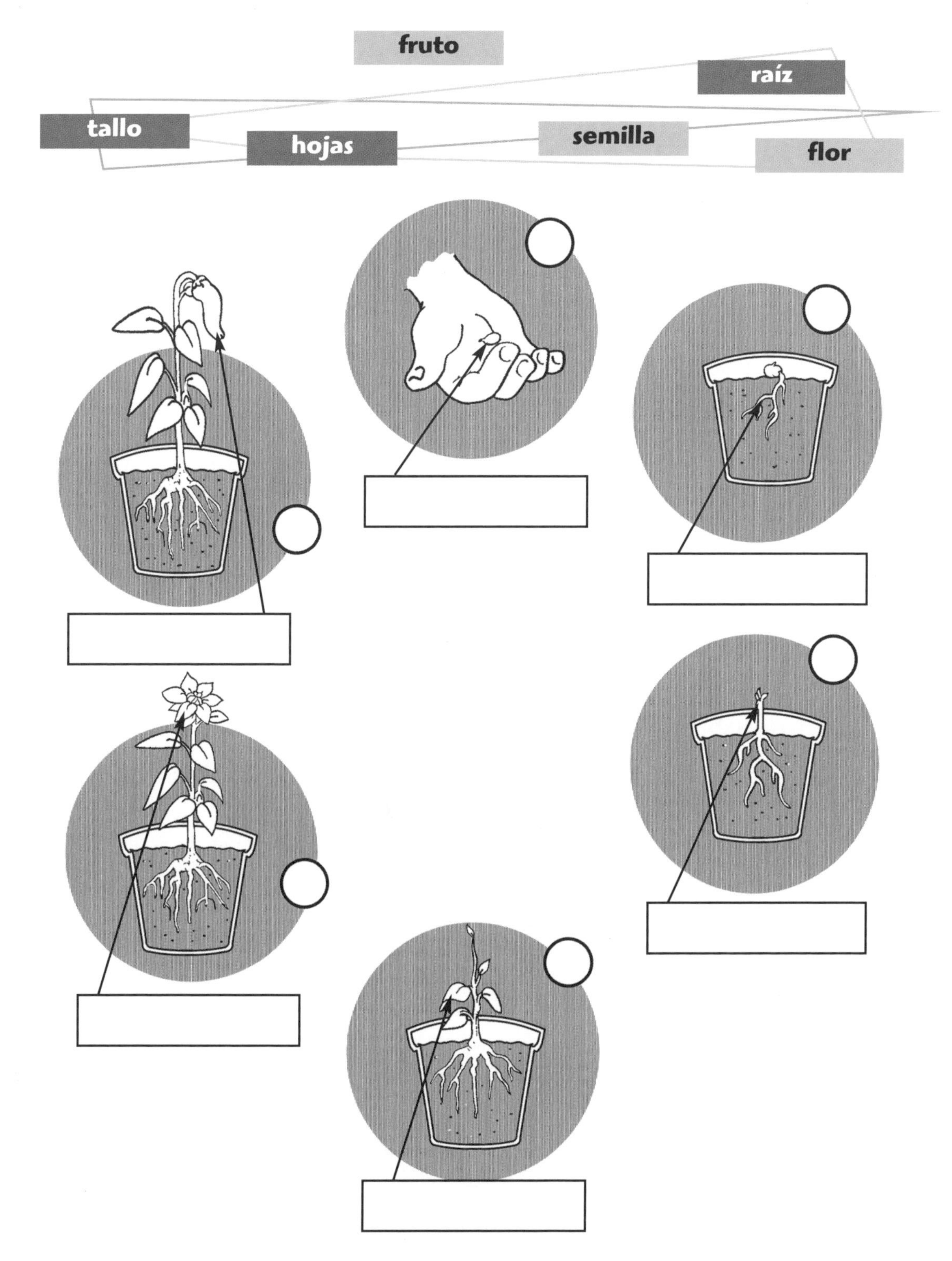

El señor Maceta

1. ¿Qué tres cosas necesitan las plantas?

2. Completa y copia.

Las plantas necesitan ...., ... y ....

....

3.  Observa y colorea.

4. Contesta o pregunta.

* ¿Cuánto cuestan las manzanas? ....

* ¿Cuánto cuestan las cerezas? ....

* ¿Cuánto cuesta una botella de leche? ....

* ¿...?

\- Un litro de zumo de naranja cuesta dos euros.

* ¿...?

\- Un kilo de pimientos cuesta cuatro euros.

REPASAMOS

1.  Lee.

* ¿Te gustan las fresas?

- Sí, me gustan las fresas.

- No, no me gustan las fresas.

2.  Observa y escribe cinco preguntas. Contéstalas.

¿Te gusta ¿Te gustan	las manzanas? el melón? los tomates? la cebolla? las judías?

* ¿Te gustan las manzanas?

- ....

* ....

- ....

* ....

- ....

* ....

- ....

* ....

- ....

REPASAMOS

3. Escribe V (verdura) o F (fruta).

4. Escribe y colorea.

Verdura **Fruta**

PISTAS CD

LIBRO DEL ALUMNO

UNIDAD 1 ¡Hola!

Pista 1 El español en el mundo.
Pista 2 Canción: Hola, España.
Pista 3 ¡Hola! ¿Cómo estás?
Pista 4 Canción: ¿Cómo te llamas?
Pista 5 Canción: José se llama el padre.
Pista 6 La familia de Rubén.
Pista 7 Canción: El abecedario.
Pista 8 Los números.
Pista 9 Canción: Dos manitas.

UNIDAD 2 Cantar y jugar

Pista 10 Canción: El rock de la ovejita.
Pista 11 La leche.
Pista 12 Más números.
Pista 13 Cosas de clase.
Pista 14 Canción: Pon, gallinita, pon.
Pista 15 Huevos de colores.
Pista 16 Canción: El jardín de la alegría.
Pista 17 Más números.

UNIDAD 3 Ven a mi fiesta

Pista 18 Canción: San Fermín.
Pista 19 Los meses.
Pista 20 El calendario.
Pista 21 La casa de Ana.
Pista 22 Canción: El patio de mi casa.
Pista 23 Canción: Cumpleaños feliz.
Pista 24 ¡Bravo!
Pista 25 Yo sé.
Pista 26 Me gusta.
Pista 27 ¿Jugamos?

UNIDAD 4 Mi cuerpo

Pista 28 Mi cuerpo.
Pista 29 Canción: Juan Pequeño baila.
Pista 30 En mi cara redondita.
Pista 31 El retrato.
Pista 32 Soy un monstruo verde.
Pista 33 Monstruitos.
Pista 34 Canción: ¿Qué me pongo hoy?
Pista 35 La ropa: yo llevo...

UNIDAD 5 Érase una vez...

Pista 36 La ratita presumida.
Pista 37 Canción: ¿Qué es ese ruido?
Pista 38 Adivina adivinanza.
Pista 39 Canción: La gatita Carlota.
Pista 40 Canción: ¿Qué ves ahí?

UNIDAD 6 Me gusta la fruta

Pista 41 Canción: Me gusta la fruta.
Pista 42 ¡Me encanta!
Pista 43 Verduras del huerto.

CUADERNO DE EJERCICIOS

UNIDAD 1 ¡Hola!

UNIDAD 2 Cantar y jugar

Pista 44 ¡En español, por favor!

UNIDAD 3 Ven a mi fiesta

Pista 45 La casa.
Pista 46 Pedir permiso.
Pista 47 Números de colores.

UNIDAD 4 Mi cuerpo

Pista 48 Mi retrato.
Pista 49 Monstruitos.
Pista 50 Colega se viste.
Pista 51 La ropa: yo llevo...
Pista 52 Descripciones.
Pista 53 ¿Qué monstruo es?

UNIDAD 5 Érase una vez...

Pista 54 ¿Tienes mascota?
Pista 55 Carlota y Micifú.

UNIDAD 6 Me gusta la fruta

Pista 56 Me gusta la fruta.
Pista 57 ¡Me encanta!
Pista 58 El rap de Rubén y Julia.